그였지 K

19세 미만 구매 불가

에로영화보다 더 야한
시청자 K양의 실화

양산의영웅 지음

그 여자 K

발 행 | 2024년 07월 07일
저 자 | 양산의영웅
펴낸이 | 한건희
펴낸곳 | 주식회사 부크크
출판사등록 | 2014.07.15.(제2014-16호)
주 소 | 서울특별시 금천구 가산디지털1로 119 SK트윈타워 A동 305호
전 화 | 1670-8316
이메일 | info@bookk.co.kr

ISBN | 979-11-410-9282-5

CONTENT

작가소개

흉가와 폐가 체험이라는 콘텐츠를 진행하고 있는 인터넷방송 스트리머로 활동하고 있다. 9년 동안 여러 사연이 있는 흉가나 폐가를 약 2000여채 이상 다니며 풍수적으로 흉가나 폐가 된 집을 분석하고 관찰해 왔으며 많은 풍수 인테리어 관련 자료나 서적들을 참고하여 집의 외부와 내부의 기운을 이해하고 파악하며 비교하여 연구해 왔다. 보이지 않는 에너지의 법칙, 그림에서 나오는 마법의 기적, 당신의 꿈이 꿈해몽과 맞지 않는 이유, 흉가는 어떻게 찾는 것일까? 번영하는 집 몰락하는 집. 5권을 출판한 이력이 있다. 현재도 지도를 탐색해서 흉가라고 의심되거나 사연이 있을 만한 흉가와 폐가를 찾아 체험하고 탐험하고 있으며 독특한 이력으로 STATV 숙희네 미장원, MBC 행복한 금요일, NBN 특종 세상 등 다수의 방송 출연 경력이 있다.

책을 읽기 전에

본 이야기는 K라는 특정 시청자와의 실화의 내용으로 100% 사실을 작성하였으며 단 1%라도 과장되거나 거짓의 내용은 없습니다. 19금 내용이 담긴 책인 거만큼 이야기의 전개상 성적인 내용을 매우 구체적으로 묘사되었으니 그런 내용에 대한 거부감이 있는 독자들은 필독을 사양해야 합니다.

특정인의 허위나 비하적인 내용은 없습니다.

제1화 2017년 그해 여름

그 여자 K

2017. 07. 01 AM 04:00

공허한 새벽--------------
2017년 뜨거운 여름이 오기 전
장마의 끝 무렵 아직 비가 자주 오는 시점이었지
만
밤낮이 바뀐 생활은 그런 느낌을 받지 못한다.
매일 흐린 날씨 무료한 날을 보내는 중

처음 보는 듯한 닉네임의 메시지가 왔다.
시청자이거나 영상을 본 사람의 메시지구나.

제1화 2017년 그해 여름

또 흉가 주소나 알려달라고 하겠지?
그냥 차단시켜 버릴까..
짧은 생각을 하던 찰나

안녕하세요. 유튜브 영상 잘 보고 있습니다.

그냥 인사인데? 흉가 주소만 알려달라는 메시지에
만 너무 시달려서 이번 메시지도 그런 내용이겠
지..라고 생각했지만. 단순한 인사였다.

아.. 네 안녕하세요.
시청자도 없고 조회수도 없는 영상 시청해 주셔서
감사합니다.

단순한 인사의 끝으로 마무리하려고 했지만..

제1화 2017년 그해 여름

언제 한번 커피 대접해 드리고 싶어요.

이게 무슨 삼류 로맨스 영화 대사 같은 말인가?
대사의 남녀가 바뀌긴 했지만..

네 감사합니다.
언제 한번 제가 커피 사드리겠습니다.

2017. 07. 04 AM 03:00

안녕하세요.
또 메시지를 보내네요. 영상 잘 보고 있습니다.
저는 부산에 사는 K00입니다.

제1화 2017년 그해 여름

두 번째 대화인데 마치 처음 대화한 듯한 느낌이다.

아 그러세요? 감사합니다.
좋은 하루 보내세요.

새벽 3시에 좋은 하루 보내라는 말도
이제는 기계적으로 나온다.

어쩌다가는 처음 대화하는 사람과 자주 대화하는 거처럼 말하고 어떤 때는 자주 대화하는 사람과 처음 대화하는 듯이 대화가 이어 나간다.

무슨 이유인지 이것이 더 익숙하듯 하다.

2017. 07. 06 PM 14:00

안녕하세요.

제1화 2017년 그해 여름

또 K라는 여자의 메시지이다.
그리고..
5분여간 침묵이 흐른다.

저 그런데 질문이 있어요.

저는 언니랑 나랑 둘이 살아요
32평 아파트 전세로 사는데
방은 3칸이에요

방 하나는 그냥 비워있죠.

그리고..

리트리버 개 한마리 키워요.

우리 집 개가 잘 안 짓는데

제1화 2017년 그해 여름

빈방의 방문을 열어두면 방 쪽을 향해

막 짖어요.

너무 이상해요.

혹시 방안에 귀신이 있는 걸까요?

음 나에게 개인 메시지를 보내 목적이

이런 이유..?

나는 사무적으로 답변을 했다.

제1화 2017년 그해 여름

추측이나 심증으로 말씀드리자면 그 방에 귀신이 있을 확률은 높다고 봅니다.

특별히 불편함이 없다면 계약기간 끝나고 다른 곳으로 이사 가시는 것이 좋으며 방문은 가급적. 열어두지 마세요.

확실한 방법은 그 방에 쑥을 태우면 귀신을 퇴치할 수 있는데요. 최근 아파트이면 쑥 연기 때문에 화재로
인식되어서 화재 경보음이 울릴 수 있어요.
단독 주택이라면 가능하지만

지금으로서는 방문은 열어두지 마시고 향을 피우거나 초를 켜는 것은 자제해 주세요. 별일 없을 겁니다.

제1화 2017년 그해 여름

K 양은 한참 생각하고 메시지를 보내는 듯 답변
이 왔다.

사실 뒤늦게 알게 되었는데 이전에 이 집 살았던
전 세대의 사람은 이 집에서 한 달도 못 살고 나
간 적이 있었데요.

음..........

제2화 저는 피부 관리사입니다.

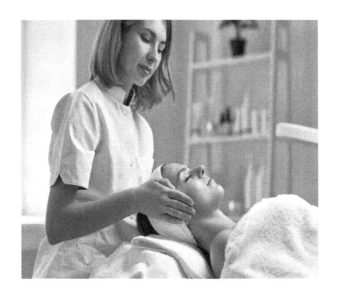

2017. 07. 12 AM 02:00

오늘도 방송 잘 보았습니다.

저는 그.. 음
마사지.. 아 피부관리 일을 하는 사람이에요.

제2화 저는 피부 관리사입니다.

한동안 연락이 없었던 K양은 갑자기 묻지도 않은
직업을 먼저 메시지로 대답한다.

심리가 뭐지?

나에게 사심?
단순한 어필?
아니면 그냥 아무 이유없이..

네 그러세요?
좋은 직업을 가지셨군요.
아침에 출근하실 텐데
원래 늦게 주무시나 봐요.

이렇듯 무료한 대화가 이어 나갔지만
K 양은 이어지는 메시지를 확인하고도 답이 없었
다.

제2화 저는 피부 관리사입니다.

2017. 07. 12 AM 03:00
약 한 시간 만에 답장이 왔다.

죄송해요.

손님이 와서요.

새벽 1시에 손님?

몇 년 전 TV를 보다가 심야 시간에 오픈하는 미용실이 있다고 해서 간접 광고를 하는 듯한 내용의 프로를 우연히 본 적이 있다.

오후나 저녁 시간에 미용실을 방문하기 힘든 바쁜 현대인이나 밤낮이 바뀐 생활을 하는 고객을 위해 밤 11시부터 새벽 6시에 마감하는 미용실.
심야 시간에 머리 커트 손님만 받는다는

제2화 저는 피부 관리사입니다.

원장님의 인터뷰에서
심야 시간 영업한다는 이유로 퇴폐 미용실로
오해하는 사람이 많아 고충을 겪는다는
그런 내용.

동네 어딜 가도 흔하고 흔한 미용실도
나름 틈새를 노리는 역발상이기도 하다.
그냥 혼자 생각. 중얼중얼

피부관리실도 남들 오픈 안 할 때.
틈새 시간에 고객을 부르는 사실
밤일하는 사람 중에 피부관리가
필요한 사람이 많을 거야.

밤에 잠을 못 자면 피부 트러블이 일어나는데
심야시간대 영업하는 피부관리실 괜찮은데?

제2화 저는 피부 관리사입니다.

2017. 07. 15 AM 04:30

늦은 시간까지 시청해 주셔서 감사합니다.

내일 아니 오늘 밤 11시에 뵙겠습니다.

오늘은 컨디션이 좋아서인지 방송이 늦게 마쳤다.

끝나기도 무섭게 울리는 메시지

저에요. 별풍선 500개 쐈던...

아.. 5개는 기억 못해도 500개는 기억하지

제2화 저는 피부 관리사입니다.

여러 번 대화를 주고받았는데 유료 아이템을 주었다는 첫 번째 내용이 고마움을 느끼면서도 첫 조금 불편하게 느껴진다.

무언가 자연스러움이 없다.

영웅님 관리해 드리고 싶어요.

언제 오실 수 있나요?

관리요? 피부관리요?

그런 관리는 좋죠..

큰일이 없다면 가게에 갈 수는 있어요.

제2화 저는 피부 관리사입니다.

방송에 도움 주는 시청자에게 조금이라도
매출을 올려주면 얼마나 좋아?

2017. 07. 16 PM 12:30

오늘은 이상하게 잠이 안 오구나.
오늘은 모처럼 저녁에 약속도 있고 낮에 병원도
가야 하고. 미용실도 가야 하고 은행도 가야 하고
잔잔하게 할 일이 많아서 심야 방송은 쉬어야 한
다.

점심시간 때 마쳐 오는 메시지

식사는 하셨어요?

사무적으로 나오는 영혼 없는 질문

제2화 저는 피부 관리사입니다.

네 이제 먹으려구요.

그녀도 무료한 탓인지 빠르게 이어지는 메시지는
없다.

다음에 혹시 만나면 국밥이라도..
피부관리 받으러 오라고 해놓고 국밥?

일하는 곳에서 만나기가 부담스러운 건가?

나는 그렇게 생각하고..

나는 메시지의 답을 했다.

일 마치면 출출하실 텐데 국밥이라도
대접해 드릴게요.

제2화 저는 피부 관리사입니다.

그 이후 특별한 메시지를 주고받지 않고 며칠이 지났다.

2017. 07. 21 PM 05:00

낚대 단점을 이루고 타이밍을 맞추듯 K양에게 메시지가 왔다.

저 지금 대연동에 있는 가게에서 일해요.

여긴 좀 그렇고 나중에 해운대에 있는 가게로 옮길 텐데. 그때 관리받으러 오세요.

2017. 07. 23 PM 04:00

제2화 저는 피부 관리사입니다.

오늘부터 해운대 가게로 옮겼어요.

혹시 방송 쉬는 날 가게에 오셔도 되고

아니면 방송 끝나면 오셔도 되고

저 사실 피부 관리사가 아니라

스웨디시 마사지해요.

홀 복 입고.. 좀 창피하지만..

처음부터 마사지한다고 하면

이상하게 생각하실까 봐..

그냥 관리 해드리고 싶어요.

제3화 그 여자 K의 비밀

나 가게에서 쓰는 이름은 지윤이에요.

제3화 그 여자 K의 비밀

처음 오는 손님 같은데 관리사 지명하면

실장이 이상하게 생각할 수 있어요.

혹시나 뭐 물어보면 그냥 알고 지낸

오빠 동생 사이라고 하세요.

아 그리고 계좌번호 주세요.

한 시간 관리 10만원인데

10만원 입금해 드릴게요.

제3화 그 여자 K의 비밀

조폭 같은 험한 인상의 남자가 마중 나와 친절하게 맞이한다.

지운 쌤 초이스 하셨죠?

네..

험한 인상과 다르게 굉장히 친절하다.

키가 160cm 정도의 날씬한 몸매와 가슴이 확 드러나는 붉은색 짧은 원피스를 입고 들어왔다.

제3화 그 여자 K의 비밀

제가 방송 닉네임 그..000 에요

제 가슴이 좀 작죠..?

이 옷 어때요?

제3화 그 여자 K의 비밀

이 옷 어때요? 데이트하러 온 것도 아닌데 무언가 상황에 맞지 않는 K양의 말들

K양은 등 쪽부터 엉덩이 다리까지 오일을 발 머리부터 다리까지 가슴과 손 팔을 활용해서 정성 스럽게 마사지하는 K양. 그 후 자연스럽게 이어 나가는 애무를 하였다.

마사지인 듯 아닌 듯 그냥 부비부비 하는..

별로 시원하지 않는 마사지

마사지 보다는 성적인 흥분을 일으키는 목적의 신 체접촉일 뿐이었다.

제3화 그 여자 K의 비밀

흥분을 유도하는 자극이 정확한 표현이다.

세 한 분위기가 어색해서인지 그녀는 열심히 하면서 대화를 건다.

밝고 건전한 곳에서 만나야 하는데

이런 곳에서 만나니 좀 그렇죠?

시간이 서로 안 맞으니 어쩔 수 없죠.

오빠 여친 있으세요?

아니요.

없지만.. 억지로 만들고 싶지 않아요.

제3화 그 여자 K의 비밀

밤에만 활동하고 좋지도 않은 흉가 폐가만

다니는데 어느 여자가 좋아하겠어요?

여친을 억지로 만들고 싶지 않다고 해서

거기가 고자인 줄 알았어요.

....

저는 오빠랑 오랫동안 오빠 동생으로

지내고 싶어요.

잠시 침묵이 흐른 뒤..

제3화 그 여자 K의 비밀

자 앞으로 누으세요!

참 크다..

K양은 내 XX를 한참 만 지 작 거리며

부드럽게 흔들기 시작한다.

가슴 만져요. 아님 엉덩이? 허벅지 꼴리는데로 만
져요.

천천히 흔들테니 천천히 빼세요.

K양은 혼자 말을 하기 시작한다.

근데 여긴 참 잘생겼다.

제3화 그 여자 K의 비밀

여자들이 오빠 여기를 안 봐서

여친이 없나봐..

어느 여자들도 이런 물건 다 좋아해

근데 남자들은 그 해바라기 있지?

그런 모양만 자부심이 있던데

보통 남자들 착각하는게 여자들 해바라기 은근히
싫어해.

오빠꺼는 성인용품 샵에 파는 전형적인

여성 자위기구 딱 그 크기라..

제3화 그 여자 K의 비밀

이 말이 끝나기 전에 물이 흥건히 나왔다.

내가 잠을 잘 못자서 그런지 힘이 잘 써지지 않는다.

다음에도 관리받고 싶으면 연락하고 오세요.

여기 한 시간에 10만원 인데 한 시간 삼십분은 15만원 이에요.

그런데 한 시간만 하셔야 해요.

저 찾는 손님 무지 많아서..

꼭 미리 연락을 주셔야 해요.

제3화 그 여자 K의 비밀

또 제가 10만원 입금해 줄게요.

본인도 힘들게 돈을 버는 일인데. 본인 손님 놓쳐서까지 왜 나에게 이렇까?

이 생각은 잠시 스쳐 갔을 뿐..

K양과 첫 만남 이 후. 두 번째 만남도 그녀가 일하는 샵 이었다.

그것도 약간 퇴폐적인 느낌의 영업장.

이때까지는 K양에 대해 알게 된 것은

딱 3가지 였다.

제3화 그 여자 K의 비밀

94년생 그 당시 우리 나이로 24세. 집은 부산이지만 전국적으로 돌아다니며 일한다.
20살 때 그녀의 고향인 거제도의 어느 조선소 경리로 일하다 상사의 성추행에 충격받아 일을 그만두고 부산으로 왔다.

K양에 대해 더 알고 싶었지만
더 이 상 자세히 묻지 않았다.

물어본다고 해도 대답할 거 같지 않았다.

분위기가 그랬고 그냥 내 촉이 그랬다.

그리고 그 후..
열흘 이상이 지났지만..

제3화 그 여자 K의 비밀

K양에게 별다른 메시지가 없었다.

2017. 08. 04 PM 06:00

일어나보니 저녁 6시이다.
뜨거운 무더위에는 잠들기가 힘든데 그런 상황 치
고는 잠을 잘 잔 듯하다.

낮에 잠을 자고 일어나보면 메시지가 기본 10개
이상인데 광고가 대부분이다.
하지만 개인적인 메시지가 꼭 한두개는 있는데 그
중 K 양의 메시지도 있다.

오늘 방송 마치고 새벽에 오실래요?
오늘 예약 손님이 없어요.
4시 전에 오시면 될듯해요.

제3화 그 여자 K의 비밀

K 양은 편의점, 카페, 패스트푸드점 쿠폰을 꾸준히 보내 주었다. 왜 나에게 이렇게 잘해 주는 걸까? 생각보다 잘 챙겨주니 그저 좋았지만. 마사지는 조금 다르게 생각했다. K 양의 직업으로 하는 것인데 마사지 받고 싶다고 내가 가게로 찾아가면 K 양의 지명 손님을 놓칠 수 있다.

나 때문에 돈을 벌 수 있는 타임을 놓치는 것이 된다.

그리고 나에게 마사지 비용을 주면 K 양은 2명의 손님에게 무료 봉사를 해야 하는 것이다.

제3화 그 여자 K의 비밀

나 하나 때문에 나 포함해서 또 다른 손님에게 무
료 봉사를 해야 하는데 K 양은 괜찮다고 하지만
아닌 것은 아닌 것이었다.

2017. 08. 05 AM 04:00

가게에 방문하니 사장인지 50대가 넘어 보이는 중
년의 여성분이 반갑게 맞이해 주었다.

배드에 누으니간 잡생각이 난다. 자위행위도 하지
않고 섹스도 하지 않는 내가 그때는 긴장해서 빨
리 사정을 못한 게 아닌가. 하는 생각이 그 순간
에 딱 생각이 났다.

똑 똑.. 노크 소리와 함께 K 양이 들어왔다.

제3화 그 여자 K의 비밀

이번에는 K 양의 팔뚝이 시선에 들어왔다.

날씬한 몸에 비해서 조금 부자연스러운 K 양의 팔. 남자의 쾌감을 위해 열심히 흔드는 팔이 보통 여자의 팔보다 다르지 않을까? 하는 생각에 시선이 가슴이나 얼굴보다 팔뚝부터 먼저 시선이 갔던 것이었다.

K 양이 들어오자. 하는 말

휴~ 입에서 단내가 나요.
오늘 손님 8명 했어요. 후후(뿌듯하듯)

예약이 없다고 했지만. 휴가철이라 해운대에 사람이 많다.

제3화 그 여자 K의 비밀

K 양은 씨~익 웃으며 말했다.

지금은 4시 시작이며 5시 퇴근이니 이제 마지막 타임입니다.

나를 방송상으로 만난 사람으로 생각하지 말고 그 냥 손님이다. 생각하고 해봐요.
정성스럽게 해주는 거 같은데 힘들어 보이기도 하 고 공짜로 받는건데. 내가 일반 손님이다. 생각하 고 평소대로 해봐요.

지금 상황에서는 K 양에 대한 최소한의 배려이다.

제3화 그 여자 K의 비밀

제3화 그 여자 K의 비밀

원피스를 벗고 속옷만 입은 상태로 관리하기 시작하는 K 양.

처음에는 업드려 누워 있고 K 양은 마사지 보다는 문지르는 손놀림의 분량이 더 많았으며 중간중간에 허벅지 사이에 조금씩 자극한다.

그러면서 K 양의 하는 말.

보통 손님 10명 중에 5명은 이때 싸버려요.

오빠처럼 사정을 안 하면 기특해서 내가 특별한 서비스를 해주는데..

이 말이 끝나자. K 양은 나보고 똑바로 누으라고 한다.

제3화 그 여자 K의 비밀

제3화 그 여자 K의 비밀

K양은 속옷을 벗고 내 위에 올라타기 시작했다. 내가 똑바로 누으니 성기와 성기를 부비부비하며 넣을 듯 말 듯 성기와 성기를 맞닿는다. 그리고 K 양의 허벅지 사이에 성기를 넣고 섹스하듯 문질거린다. 실제 섹스하는 느낌이 났다.

이게 유흥 용어로 특정 단어가 있는데 중요하지도 않는 것을 나는 왜 자꾸 알려고 하는지 모르겠다. 이 분야의 일을 얼마나 했는지 묻지 않아서 모르지만. K양은 이런 행위가 경험보다는 이 분야에서 최고가 되려는 의지가 강한 듯 느껴졌다.

제3화 그 여자 K의 비밀

이것 때문에. K 양에게 마사지를 받으려는 사람들이 줄을 섰구나.

연예인 뺨치는 예쁜 외모. 에로 영화 배우같은 몸을 가진 K 양은 왜 나에게 아낌없이 주는 나무가 되려고 하는 것일까?

새벽 5시 30분 정도 K 양의 퇴근하고 해운대 해변가 인근의 커피전문점에 갔다.

　K양을 밖에서 얼굴을 보는 건 두 번째 만남이 처음인 것이며 일하는 가게에서 보는 것이랑 밖에서 보는 것이랑 느낌이 너무 달랐다. 장르로 치면 변태들만 보는 일본 야동에서 온 가족이 보는 드라마로 바뀌었다.

제3화 그 여자 K의 비밀

K양의 얼굴은 복잡한 사연이 많은 듯한 내가 건들이기만 하면 쏟아져 나올 것만 같았다.

새벽 커피를 마시며 기다렸다는 듯이 본인의 이야기를 하기 시작했다.

어릴 때 집이 찢어지게 가난했어요.
무슨 일을 하든 가난을 벗어나고 싶어 대학 가는 것을 포기하고 조선소 경리로 취업했죠.

그런데 첫날부터 주임인지 과장인지 추근거리기 시작했어요. 처음은 참았는데 계속 참으니사무실에 아무도 없을 때 제 몸을 만지기 시작 하더라구요.

제3화 그 여자 K의 비밀

더 이상 못 참아서 그만둔다는 말도 없이 도망가 버렸어요.

일단 대도시로 가자는 생각으로 서울로 가려다 거제도에서 그나마 가까운 부산으로 갔어요. 구인 사이트를 뒤 적이다. 숙식 제공에 초보자 가능이랑 말에 혹해서 마사지 가게에 취업했어요.

그래서 이 일을 시작하게 된 계기에요.

K양은 이렇게 본인 이야기 하면서 정작 나에 관한 이야기를 하지 않았으며 본인의 과거를 이야기할 뿐 나에게는 궁금한 것이 없는 듯한 눈치였다.

제3화 그 여자 K의 비밀

이성적으로 좋아하지도 않고 단순히 팬으로 좋아
한다면 이렇게까지 나에게 잘해 줄 일이 없는데
적당히 후원하고 적당히 자신의 존재를 드러내고
적당히 응원하고

적당히 라는 선을 이미 넘어버린 그여자 K

2017. 08. 05 AM 06:00

휴가 절정인 여름 벌써 날이 밝았다.

그리고 --------------------------------

제3화 그 여자 K의 비밀

그날 저녁 이후 K양의 카카오톡 프로필이 순식간에 사라졌고 나랑 대화했던 모든 내용이 연기처럼 사라졌다.

그 후 방송 시청자로도 나타나지 않았던 K양

그 후

제3화 그 여자 K의 비밀

2019년 7월. 어느 여름 날..

처음 보는 닉네임의 메시지가 왔다.

2년 동안 단 한번도 연락이 없었던

K양에게 메시지였다.

오빠 저에요...

제4화 K 양의 집의 비밀

약 2년 만에 연락이 왔던 k양.
몸이 멀어지면 마음도 점점 멀어지는 법. 2년이라
는 시간은 K 양의 존재를
자연스럽게 잊어버리게 되었다.

2달도 아니고 2년 만의 연락은 좀
뭐랄까..
기분이 어떨떨하다..

그리고 거리감도 느껴진다.

그렇만한 사연이 있다만 모를까..

그때 K 양을 부산의 어느 카페에서 만나
이야기를 해보았다.

제4화 K 양의 집의 비밀

나는 2년이 넘은 시점에 흘러가듯 들은 이야기인데도 마치 어제 들은 이야기처럼 기억이 떠올랐다.

하고픈 말을 한참 참은 듯 막 쏟아내는 k양

오빠 말 듣고 그 방의 문은 꼭 닫아두는 것은 신경 쓰며 살았는데.
내가 어느 날 실수로 그 방문을 열어두고 출근했어.
하필 그 생각이 샵에 도착하고 옷을 갈아입는데 딱 생각이 났고 그날 예약 손님이 밀려 있어서 다시 집에 돌아갈 수도 없는 상황에..
뭐 몇일 출장 나온 것도 아니고. 몇 시간 뒤면 집에 갔어
뭐 별일 있겠어? 하는 안일한 생각을 했지만

제4화 K 양의 집의 비밀

나는 순간 충격적인 일이 있었다는 것을 직감했다.

잠시 머뭇거리는 K 양

그 다음날 새벽에 퇴근하고 집에 가보니..
우리 집 개가 죽어 있는거야..

순간 너무 충격을 받아서 그 후로 일하러 안 나가고 휴대폰도 꺼두고 은둔 생활을 했어.

그리고 침묵이 흐른다.

며칠이 지나고 휴대폰을 켜는데 예상했다. 당연하다는 듯 일하는 가게 사장으로부터 수십통의 부재중 전화가 와있고.

제4화 K 양의 집의 비밀

또 이상한 것은 언니가 집에 들어오지 않는 거야.
 언니가 혼자 여행하거나 며칠 놀러갈 때 말을 안
하고 가는 경우가 있어서 대수롭지 않게 생각했는
데 장기간 언니의 연락이 없어서 걱정되더라고

 고향에 있는 엄마한데 안 부차 전화하니 언니가
엄마 집에 와있다고 말하던데

K 양의 언니는 놀러 갈 때는 말은 안 하지만 고
향의 엄마 집에 갈 때는 꼭! 말은 하고 간다고 한
다. 혹시나 대신 부탁할 게 있는지 확인하기 위해
서이다.

제4화 K 양의 집의 비밀

남들이 볼 때는 같이 살고 있는 언니보다 집에서 키우는 개가 죽은 게 더 중요하고 충격적인 일인가? 생각하겠지만 나는 저 상황에는 충분히 그럴 수 있다고 이해했다.

정신적인 멘탈이 무너진 K 양은 언제까지 일지는 모르지만 당분간 일을 안 하기로 하고 엄마가 사는 고향으로 갔다고 했다.

K 양은 엄마 집에 도착하자 언니는 거실에서 TV를 보고 있었다.

언니 왜 말 안 하고 엄마 집에 왔어?

언니는 K 양이 문을 열고 들어온 것을 인기척 못 느꼈는지 한참 뒤에 반응한다.

제4화 K 양의 집의 비밀

왜 너 한데 그런 얘길 해야 하는데?

K양은 순간적으로 언니가 다른 사람이 되었다는 것을 느꼈다고 한다. 겉모습은 매일 보던 언니가 맞지만. 몸속은 다른 사람이 들어가 있다는 느낌을 강하게 받았다는 의미다.
 그리고 그 후 무슨 이유인지 모르겠지만 언니는 가급적 집 밖을 잘 나가지 않으려 했다고 한다. 해운대의 그 아파트에서 엄마 집으로 넘어온 이후부터

K양은 엄마 집에서 안정을 취한 뒤 전세로 살았던 해운대의 아파트의 집주인을 찾아간 적 있었다고 한다.

무언가 숨기는 게 있는 듯한 느낌의 집 주인.

제4화 K 양의 집의 비밀

이미 계약 관계가 끝난 시점이라 K 양은 집주인에게 집요하게 추궁하듯이 물어보았다고 하며 집주인은 아파트를 건설하고 있을 당시에 문제의 그 방에서 어느 인부가 사고로 사망했다고 이야기를 들은 적이 있다고 했는데 그걸 뉴스로 접한 것도 아니며 사망한 위치가 그 방이 맞는지 확실하지 않다고 한다.

만약 그 방에서 사람이 사망한 것이 확실하다고 해도 세입자랑 계약할 때 그 말은 하지 않았을 것. 이라고 했다.

세입자의 입장도 괜히 기분이 찝찝하고. 집 주인의 입장도 함부로 꺼내기 좋은 말은 아니기에.. 냉정하게 말하였다고 한다.

제4화 K 양의 집의 비밀

K 양은 내가 과거에 말한 쑥을 태우는 것은 내 말을 믿지 못해서가 아닌. 한다고 하는 것이 시간 없어 못 했다고 한다.

퇴근하고 이것저것 하면 오후 점심시간이며 많이 자면 하루 수면이 5시간 정도. 육체적으로 힘든 일을 하니 일주일에 하루 휴무 날은 하루 종일 잠만 잔다고 했다.

그런데..

정말 그 방에 귀신이 있었는 게 사실인 거 같아.

내가 말을 안 한 것도 많은데

제4화 K 양의 집의 비밀

K 양은 신중하게 생각하는 듯 잠시 뜸 들이고 메
시지를 보내는 듯 답변이 왔다.

한번은 휴일 날. 거실 소파에 앉아 있는데
그 방문이 저절로 열리는거야.
무슨 낡은 방문도 아니고
그렇다고 안 쓰는 방에 창문을 열어둔 것
도 아니고..
그날 바람이 불어서 열린 것도 아니고
만약 바람이 엄청 분다고 해도 최신식
아파트의 방문을 제대로 닫았는데 저절로
열리는 것은 말이 안 되거든.
무슨 시골 초가집의 방문도 아니고

제4화 K 양의 집의 비밀

그리고 한번은 무슨 일이 있었냐 하면

그날 손님이 없어서 새벽 3시쯤에 집에
들어왔어. 일이 없다고 해도 워낙 힘든
일이라 몸이 녹초가 된 상태에서 현관문
을 열고 집에 왔는데 그 방에서 노크
소리가 나는 거야 내가 너무 피곤해서
잘못 들은 거겠지 라고 생각했어.

다시 말하자면 현관문을 열자 말자
그 노크 소리가 났는데..

시간이 새벽 3시 정도였으니..
거실 불을 켜니간 그 노크 소리가 안 나는거야

그런데 보통은 이런 이해 할 수 없는 상황에

제4화 K 양의 집의 비밀

이런 이해 할 수 없는 상황에?

내가 주제에 없는 설교 한번 해볼까?

사람은 미스터리 한 상황을 겪으면
내가 피곤해서 잘못 들은거겠지..
내가 피곤해서 잘못 본거겠지..
보통 이런 말을 하거든
이 말을 왜 하는 줄 알아?

내가 겪는 무서운 상황은 부정하는 거지

내가 겪었던 K 양은 나이에 비해. 말이나
생각이 생각보다 성숙하였다.

제4화 K 양의 집의 비밀

무서운 상황을 스스로 부정하는 거야.
남이 겪는 무서운 상황은 재미인데
내가 겪는 것은 싫거든..

사람은 겉으로는 착해도 자기도 모르는
본능적인 이기적인 면이 있어
남이 겪는 것은 재미고 내가 겪는 것은 싫은거
지..

그 문제의 빈방은..
알 수 없는 문 열림
알 수 없는 노크소리

평소 짓지 않는. 개가 그 방만 보고 막 짓는거.

제4화 K 양의 집의 비밀

K 양의 그 빈방은 귀신의 존재가 맞는 거 같았다. 귀신을 부정하면 미안한 말이 될 수 있지만 억울하게 죽은 영혼은 자신의 존재를 알리려고 한다. 그 의도는 다 다르며 억울하게 죽은 영혼은 억울함을 알리려고 하는 것도 있고 단순한 장난의 의도일 수도 있다. 그래서 무당은 천도재를 지낸다. 이유가 어찌 되었든 죽은 사람이 산 사람을 괴롭히면 안 된다. 단순히 그러한 이유이다.

그 방에서 사고로 사망한 인부가 있다면 일을 하다가 사망한 것이고 억울하게 죽은 것이다.
그래서 내 생각도 그 방에 그 혼의 존재가 있다고 생각한다. 물론 지금은 아무 의미 없는 생각이지만.

제4화 K 양의 집의 비밀

그 집에 이사 왔을 때 남자친구가
있었다고 한다.

말을 이어가는 K 양

내가 그때 남자친구가 있었는데

난 남자 만날 때. 섹스하는거 아니면
잘 안 만나..
밥 먹고 커피먹고 영화보고 공원에서
데이트.. 한번은 하지만 좀 지루하잖아
다녀오면 엄청 피곤하고 피곤하면 예민
해져서 사소한 일로 싸우게 되고..

섹스할 때 만 만나면 싸우지 않는데..

제4화 K 양의 집의 비밀

왜 연인들은 결국 싸우는 일을 사서 하는거지? 난
이해가 안 가더라..

남친이랑 내 방에서 섹스 하는 중인데
갑자기 언니가 집에 들어와서

짜증났지.

주섬 주섬 옷을 입는데

이 언니가 눈치도 없이 내 방에서
와서 무슨 물건을 찾는다는 거야.

안 그래도 어정쩡하게 섹스를 중단해서

그 빈방으로 갔어.

제4화 K 양의 집의 비밀

남친은 사정도 못하고 짜증 났을 거 아니야.

언니가 있어 섹스는 못하고

남친 거시기를 꺼내서 손으로 해주다.

한 5분정도 흔들어 주었나.

사정을 안 하네? 그래서 내가

입으로 해주고 있는데.

한 10분 정도 해준 거 같아.

그래도 사정을 안 하네?

제4화 K 양의 집의 비밀

충격이라면 충격일 수 있고
개방적이라면 개방적일 수
있지만 K 양은.
그 남친과 두 번째 만남이었다고 한다.

남친이 갑자기..

그만해..

왜? 안 좋아? 아파?

아니.. 그게 아니라..

이 방 기분이 안 좋고

느낌이 안 좋아.

제4화 K 양의 집의 비밀

K양의 그 당시 남친은 이 방에 우리 말고
꼭 누가 있는 거 같다고 말하였다.

그리고 그 남친이 하는 말..

오럴 섹스를 해줄 때 바로 옆에서
어떤 남자의 목소리를 들었거든..
뚜렷하게 들리지 않았는데

좋겠다..? 좋아..? 부럽네..?
여자친구 얼굴 이뻐서 좋겠다..
이런 말을 중얼 중얼 거리듯 들었어.

K양 그 남친은 두 번째 만남이지만 무당처럼 촉
이 있다든지 귀신을 본다든지 그런 사람은 전혀
아니었고 평범한 회사원이었다고 한다.

제4화 K 양의 집의 비밀

물론 나이가 K 양보다 13살이 많았지만.

그 방의 이상한 느낌을 받은 것은

두 번째 만났던 그 남친의 말을

듣고 본인도 이상한 기분이 들었다고 한다.

두 번째 만난 남친을 집으로 불러들인 날은

이사한 지 둘째 날이었다고 한다.

제5화 K 양은 왜 심령에
관심이 생겼나?

웃긴 것은. 그날 남친에게 오럴 섹스를
어정쩡하게 해주고 그 후로 그 남친이랑
헤어졌다고 한다.

정식으로 헤어졌다기보단
그 남친이 연락이 없는거야.

그래서 내가 연락을 해보니간
나를 피하는 거 같더라고

그때 잠시 만난 남친은 지금 뭘 하는지..
어디에 있는지 알 수 없다고 한다.

제5화 K 양은 왜 심령에
관심이 생겼나?

그 후로 우리 집에 키우는 개가

그 방문을 열면 막 짓고

안에서 문을 노크하는 소리가 들리고

문이 저절로 열리고

이런 현상을 보면 귀신은 없다고

볼 수 없구나.

제5화 K 양은 왜 심령에 관심이 생겼나?

K양은 이전에는 귀신을 믿지 않았고
귀신 본 적은 없다고 했다.

그 집에 이사간 후.
귀신이 있을 수 있겠구나.
꼭 귀신이라고 단정 못해도 세상에는
알 수 없는 무언가가 있을 수 있겠구나.

K양 그 집에서 있었던 일 그전에도
이상한 경험을 했다고 했지만
K양은 성격 자체가 그렇게 예민하지 않고
그 상황에는 크게 대수롭지 않게 넘어가는
경우가 많았다고 한다.
그렇다면 그 이상한 일은 무엇이었을까?

제5화 K양은 왜 심령에
관심이 생겼나?

K양이 하는 일은 말이 그냥 마사지이지
이것을 유흥용어로 말한다면 스웨디시나
섹슈얼이라고 불리기도 한다.
즉 마사지처럼 하면서 성관계를 연상시
키는 관리이다.

K양은 이런 일을 하면서 수많은 사람과
신체 접촉을 했는데 그 이후부터 이상한
느낌을 많이 받았다고 한다.

물론 그때 그때 순간 이상하다. 생각하고
넘어갔던 것. 뿐이지 그런 느낌을 이상
하거나 예민하게 반응하지 않았다고 한다.

K양의 그런 이상한 느낌은 무엇이었을까?

제5화 K 양은 왜 심령에 관심이 생겼나?

K양은 손님 관리가 끝나면 그 룸에서 청소하거나 뒷정리는 해야 한다고 한다.

그때 그 공간 안에는 나 말고 누군가가 없는데 청소하고 있으면 바로 뒤에 누가 있는 느낌이 들거나 옆에서 내 몸을 살짝 만지는 느낌이 든 적이 많았다고 한다.

그 일이 하기 전에는 한번도 느껴보지 못한 사소한 느낌이지만 그 상황에는 별의별 유형의 손님과 진상 변태 손님 등을 일일이 상대하니 몸과 정신이 힘들고 지쳐서 별거 아니라고 생각했던 것이다.

제5화 K 양은 왜 심령에 관심이 생겼나?

하지만 그것을 시간이 지난 뒤 다시 생각해 보면 공포 라디오에 짧은 사연이라도 보낼법한 일이다.

제5화 K 양은 왜 심령에 관심이 생겼나?

원래 미신을 믿지 않았던 K양은 친구의 권유로 용하다는 무당집을 소개받아 가보았다고 한다.

나중에 나이가 들어도 이런 일을 할 수 없는데 나중에 무엇을 하면 좋을지 깊은 고민에 빠진 적이 있었다고 한다.

K양은 무당집 하면 딱 이런 이미지가 떠오른다고 한다. 집 앞에 사과나무가 있는지 나무가 있다면 앞으로 큰일나고 없다면 큰일 날뻔했다고 그 뻔한 말. 할 거 같은 이미지 말이다.

제5화 K 양은 왜 심령에
관심이 생겼나?

무당이 K 양을 한참 보더니 대뜸 몸에 귀신이 많이 붙었다고 했다.
상담하러 왔는데 상당히 기분이 나빴다는 K 양.

그 말을 들은 나는 냉정하게 말하였다.

원래 유흥쪽에 일하는 사람이 귀신이 많이 붙어...

귀신 활동에 왕성한 시간에 일을 하고 음지에서 일을 하잖아...

그리고.

제5화 K 양은 왜 심령에 관심이 생겼나?

이 말을 하면 K 양은 당연히 기분이 좋지 않을 거라 예상하고 말하였다.

이 말 듣고 기분 나빠 연락 끊고 확 가버리면 어쩔 수 없지만. K 양이 심령에 관심을 어느 정도 관심을 가졌으니 이 정도는 알아야 할 거 같다는 생각이 들었다.

나는 이어서 말하였다.

귀신이 좋아하는 시간에 활동하고 귀신이 좋아하는 술을 자주 접하고 일반인은 어쩌다 지만 유흥일은 거의 매일이니 귀신이 붙을 확률이 높지..

제5화 K 양은 왜 심령에
관심이 생겼나?

너 가 하는 일은 술을 마시는 것은 아니지만
불특정 사람과 신체접촉을 하니 가능성이 높아.

K 양은 내가 예상한 외로 표정이 안 좋다든지 그
런 건 아니었다. 오히려 담담하게 듣는 표정이었
다.

너 가 하는 일은 술을 마시는 것은 아니지만
별의별 사람.. 음 불특정 사람과 신체 접촉을 하
니

미신이라면 미신일 수 있지만 집에서 샤워하는 거
보다. 귀찮더라도 목욕탕에 가서 몸을 깨끗이 씻
는 것도 나쁘지 않다.

제5화 K 양은 왜 심령에 관심이 생겼나?

K 양은 집보다는 밖에 있는 시간이 많다. 주로 심심할 때 인터넷방송을 보았는데
주로 버라이티 같은 방송을 보았다고 한다.
가볍게 웃을 수 있고 스트레스 풀리는
예능 방송을 말하는 것이지만 TV의 예능보다
그 당시는 인터넷방송에 사람이 점점 몰리는 시기였다.

하지만 일을 하면서 느꼈던 개인적인 이상한 느낌
보다 해운대에 위치한 아파트의 그 빈방에 있었던
이상한 느낌을 감지하고 무당이 진행하는 방송과
심령 오컬트적인 방송을 찾아보았다고 했다.
여기저기 보다가 오빠 방송을 우연히 접한 것.인데

제5화 K 양은 왜 심령에
관심이 생겼나?

주작도 아닌 거 같고 큰 현상은 잘 없지만
무언가 진정성이 있고 간혹 오버는 하지만..

이상하게 이유 없이 마음이 가더라고

이러이러한 점이 좋다. 그런 것도 아니고

결혼은 했는지 안 했다면 애인은 있는지

없다면 성욕은 어떻게 푸는지

성매매는 하는지 야한 생각하며 자X를 하는지

아님 그것을 해주는 여자 팬 이라도 있는지

제6화 K 양이 나에게 잘해 주었던 이유

괜히 궁금해지더라..

보통 인터넷 방송인은 연예인보다 접근하기
쉬워서 애인까지는 아니라도 풀어주는 여자
는 한두명은 있다고 얘기 들었는데

나는 이때까지는 K양에 대해 궁금한 것은

방송인과 시청자의 관계가 아닌 왜 나에게
직접적으로 접근했는지 궁금했지만..

일단은..
K양은 그 문제의 빈방 때문에 심령에 관심이
자연스럽게 생겼고 흉가 방송을 이것저것 보다가
나와 짧은 인연이 생겼던 것이었다.

제6화 K 양이 나에게 잘해
주었던 이유

내가 만약 인터넷 방송을 했더라도 흉가나 공포 심령에 관한 방송이 아닌 아주 평범한 일상, 요리, 게임, 운동과 같은 콘텐츠의 방송이었다면 K 양은 나와 인연이 없었을 것이다.

조금 이상한 인연이지만...

보통 여자들은 좋아하는 남자를 챙겨줄 때 먹고 싶은 것 갖고 싶은 것 그리고 몸이 아픈데가 없는지 신경을 써준다.

하지만 이런 것은 순정 드라마에서나 나오는 이야기이고

제6화 K 양이 나에게 잘해 주었던 이유

하지만 K 양은 남의 눈치를 보며 은밀하게 보는 일본 야동을 보는 것처럼 음지의 세계에서 만날 수 있는 여자였다.

또 다르게 표현한다면

K양은 어떤 남자를 챙겨주고 싶으면 배가 고플 때 주로 무엇을 먹고 싶은지 심심할 때 무엇을 하고 싶은지 집에서 영화 보는 것을 좋아하는지 여행 가는 것을 좋아하는지..

꼭 특정 남자를 사랑하고 애정이 있어야 하는게 아닌. 그냥 편한 오빠 동생 아님. 남동생처럼 좋아해도 그런 관심은 가져 준다.

제6화 K 양이 나에게 잘해
주었던 이유

하지만 K 양 조금 다른 생각을 하는 여자였다.

남자가 어떤 상황에 성욕이 생기는지 그 욕구를
어떻게 해결하는지 혼자서 해결하면 팔이 아프고
현타가 오거나 자괴감이 들 거 같은데 그것을 해
주려고 하거나 신경 써주는 여자가 K였다.

꼭 그 남자가 사랑하거나 좋아하는 남자가 아니라
하더라도

먹고 싶은 음식이 있다면 본인 스스로 할 수 있고
영화 보고 싶으면 혼자 볼 수 있잖아.
여행가고 싶으면 시간 내어서 가면 되고.

제6화 K 양이 나에게 잘해 주었던 이유

하지만 그것은 영화 관람이나 여행처럼 혼자 해결하면 자괴감 느끼잖아.

3차원 세계도 있으면 우리가 알지 못하는 4차원 세계도 있듯이

K 양은 우리가 알지 못하는 그 4차원 세계만의 생각을 가진 여자였다.

K 양과 대화했던 커피숍은 커텐으로 가릴 수 있는 구조의 까페였는데. K 양은 일부러 이런 장소를 알고 유도한 듯 하다.
이런 진진한 이야기를 하는데. K 양의 손과 입은 항상 내 거기를 자극했다.
그 후 한달 정도 지난 뒤

제6화 K 양이 나에게 잘해
주었던 이유

K 양은 간혹 나에게 연락하였다.

잊을 만하면 연락해서 안부 전하는 K 양

다른 것을 배우려고 학원에 다니며 마사지 가게에서 일을 한다고 한다.
예전에는 돈 벌 욕심에 일을 열심히 하였는데. 스토커처럼 따라다니는 손님들이 너무 많아서 그 일을 매일 출근이 아닌 가끔 출근은 하며 용돈을 버는 정도라고 한다.

간혹 그 집요한 스토커 손님들 때문에 부산이 아닌 대구와 대전이나 서울에서도 일을 하는데 K 양에게는 그런 생활이 이제는 익숙한 듯하다.

제6화 K 양이 나에게 잘해 주었던 이유

K 양은 사람들 때문에 불안해서 한 가게에 오래 일하지 않고 옮겨 다니며 일을 한다고 한다.

일하는 가게를 옮길 때마다 나에게 어디 가게에 일한다고 연락하는 K 양

그 가게에서만 사용하는 본인의 예명을 알려주며..

제6화 K 양이 나에게 잘해
주었던 이유

그렇다면 위의 제목처럼 K 양은 왜 나에게 잘해
주었는가?

남자들의 흔한 착각일 수 있지만 혹시 나를 좋아
하나? 생각이 들 수 있다.

내가 K 양에게 직접적으로 물어본 적은 없지만 K
양은 나에 대한 생각은 혼자 밤에 돌아다니면 음
식은 스스로 찾아서 사 먹을 수 있지만 여자는 그
렇지 않다.
K 양은 그런 것을 해결해 주기 위해 나에게 접근
을 한 것이다.
물론 내가 하는 콘텐츠에 관심이 생길 만한 계기
가 더 컸지만..

제6화 K 양이 나에게 잘해 주었던 이유

조금 더 시간이 흘러 2019년 추운 겨울이 되었다.

나는 전국을 떠돌고 있었고 전국에 안가본 지역이 거의 없을 정도였다.

연락을 자주 하지 않는 K양은 어느 날 갑자기 문자가 와서 이런 말을 하였다.

오빠 오늘 방송 안 하면 안돼?

난 촉은 없는데 이상하게 오빠 오늘 방송에서 무슨 일이 생길 거 같아..

문자메시지로 계속 말을 하는 K양

제6화 K 양이 나에게 잘해 주었던 이유

지금 어디야?

나는 바로 답변을 하였다.

충남 논산..

공주에서 흉가를 제보해주는 시청자를 만나고
논산으로 왔는데..
여기 폐모텔을 우연히 발견했다.
터미널 부근이라 유동 인구가 많아 들어가보지 못
하겠고 느낌이 좋지 않네..
밤에 방송 키고 바로 들어가 볼려고..
그런데 나도 몇일 동안 꿈자리가 흉흉해서
처음 보는 남자가 나보고 살려 달라고.,..

제6화 K 양이 나에게 잘해 주었던 이유

K양의 이어지는 메시지

그 폐모텔 안 가면 안돼?

K양이 또 오랜만에 연락와서 잘 하지 않는 말을 하니 이상했다.

왜? 흉가 찾기가 얼마나 힘든데..

K양의 말을 무시하고 그 폐모텔을 새벽에 들어가 보기로 결심했다.

제6화 K 양이 나에게 잘해
주었던 이유

그날이 12월 13일 금요일 새벽 그 현장을 발견하고 논산 경찰서에서 직급이 높아 보이는 사복 경찰관 한 분이 오셔서 지구대에 들어가 참고인 조사를 받았다.

그리고 이 이후..

K양은 한동안 연락이 오지 않았다.
소식이 궁금해서 내가 먼저 전화하니 없는 번호라고 나오는 K 양의 휴대폰..

END --------------------------

그 여자 K

발 행 | 2024년 07월 07일
저 자 | 양산의영웅
가 격 | 8,900원
펴낸곳 | 부크크
이메일 | caa2020@hanmail.net